Recettes minceur

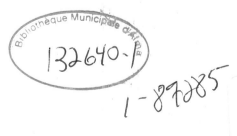
SOLAR

Sommaire

La cuisine minceur
Les ingrédients de base

Quelques kilos en trop sur le compteur de la balance ? Des vêtements qui ne vont plus, qui gênent aux entournures ? Des bourrelets ou des capitons inesthétiques ? En France, une personne sur trois souffre de surcharge pondérale et les enfants sont de plus en plus concernés par l'obésité. On mange trop et trop gras. Restauration rapide, alimentation mal équilibrée, sédentarité, etc. Et le ventre, les fesses, les hanches s'arrondissent. Les lipides font grossir. À quantité équivalente, ils renferment deux fois plus de calories que les protéines ou les glucides. Pour maigrir, il faut donc diminuer les apports de matière grasse. Pour un bon fonctionnement du métabolisme, le corps se contenterait de 60 à 80 g de lipides par jour, et on en consomme 130 g en moyenne ! Le principe de la cuisine minceur est simple : mettre l'accent sur les glucides (céréales, pâtes, pommes de terre, fruits et légumes), réduire les matières grasses ajoutées, débusquer et éviter celles qui se cachent. Et puisque tout est autorisé (mais dans une version moins riche en lipides), le plaisir n'est en rien diminué.

LES FRUITS Les fruits frais (à gauche) sont, par nature, pratiquement dépourvus de lipides. Mais ils apportent, dans des combinaisons particulièrement bénéfiques, les vitamines dont le corps a besoin, du fructose, très digeste, et beaucoup d'eau.

1 LES PRODUITS LAITIERS ET LES FROMAGES Le lait, le yaourt, le fromage blanc et le fromage constituent d'excellentes sources de calcium. Choisissez-les de préférence en version allégée. Soyez attentif aux étiquettes et sachez que plus un fromage est crémeux, plus il est gras.

2 LES POMMES DE TERRE La pomme de terre apporte des glucides et se transforme de mille façons : en purée, dans un potage, pour le velouté, ou entière, cuite au four et accompagnée d'une sauce légère, etc.

3 LES LÉGUMES FRAIS ET LES LÉGUMES SECS Ils regorgent de minéraux, d'oligoéléments, de vitamines, de substances biologiques énergisantes. Les produits dérivés du soja et les légumes secs sont riches en protéines. Les légumes contiennent peu de lipides, mais ils sont riches en fibres, qui rassasient et facilitent le transit intestinal.

4 LE POISSON Presque tous les poissons à chair blanche (comme la truite, le sandre, le cabillaud) sont maigres. Le flétan, le saumon, le hareng et l'anguille, surtout, sont plus gras. Les poissons de mer contiennent de l'iode en abondance et des acides gras polyinsaturés indispensables. Consommez-en sans restriction.

7

5 LES HERBES AROMATIQUES Dépourvues de calories pour la plupart, elles apportent la fraîcheur et l'arôme, et permettent ainsi de limiter à la fois les quantités de sel et de matières grasses.

6 LES HUILES VÉGÉTALES DE QUALITÉ SUPÉRIEURE Les lipides sont indispensables à la bonne assimilation des vitamines A, D, E et K. Au contraire des graisses animales, les huiles végétales contiennent des acides gras essentiels. Optez de préférence pour l'huile d'olive première pression à froid et l'huile de tournesol.

7 LES FRUITS SECS ET LES GRAINES Riches en vitamine E, ils le sont aussi en calories.

LES CÉRÉALES ET LES PRODUITS COMPLETS Riz, maïs, blé et autres céréales sont des sources de protéines végétales de grande qualité. Consommer des produits complets, c'est donner à son organisme des vitamines et des oligoéléments.

LA VIANDE ET LA CHARCUTERIE Préférez les viandes les moins riches en graisses, comme le poulet, la dinde, l'agneau et le bœuf, et choisissez l'escalope, le filet ou le filet mignon. Ne consommez pas le gras visible, y compris celui du jambon.

Réduire les matières grasses
Conseils et méthodes

Les bonnes habitudes commencent dès le passage entre les rayons du magasin. Pour réduire les matières grasses et se nourrir sainement, sur le long terme, il faut connaître la teneur en lipides des aliments. Tentez d'éviter habilement les nombreux pièges qui vous guettent. Des ustensiles adaptés aident à améliorer l'hygiène alimentaire : cuit-vapeur, poêle à revêtement antiadhésif ou gril, wok, papillotes de papier sulfurisé, etc. Utilisés chacun selon la méthode de cuisson adéquate, ils permettent de réduire la consommation de matière grasse. Habituez-vous à peser ou doser exactement les quantités employées. Ainsi, ne versez pas l'huile au jugé, mais à l'aide d'une cuillère ou d'un flacon doseur. Remplacez les produits très gras par leur version allégée et dégraissez après cuisson : cela est possible dans de nombreuses préparations. Par exemple, égouttez les fritures sur du papier absorbant ou utilisez une saucière séparant le gras du maigre.

La cuisson légère

1 Le panier-vapeur en bambou, le cuit-vapeur, l'autocuiseur se prêtent bien à la cuisson des légumes et des poissons.

3 Avec le wok, pas besoin de matière grasse — ou très peu. La cuisson est rapide, les aliments gardent leur couleur et leur saveur s'épanouit.

2 Pour la cuisson à l'étuvée des légumes, des poissons et de la viande, choisissez la sauteuse ou les papillotes.

4 Les grillades emploient peu de matière grasse et sont très savoureuses, qu'elles utilisent le charbon de bois ou le gril électrique.

▶▶ **Pour chaque recette sont indiquées, après la liste des ingrédients, la valeur énergétique (kcal) et la teneur en lipides par personne.**

Teneur en lipides des principaux aliments

Produits laitiers	Teneur en lipides pour 100 g
Mascarpone	48
Crème fraîche	40
Crème fleurette (ou liquide)	32
Fromage blanc à 40 %	11
Yaourt au lait entier	3,5
Lait entier	3
Cottage cheese	3
Yaourt au lait 1/2 écrémé	1,5
Lait 1/2 écrémé	1,5
Fromage blanc à 0 %	0,3
Lait écrémé	0,3
Yaourt à 0 %	0,1
Œuf de poule	12

Fromages	Teneur en lipides pour 100 g
Gorgonzola (50 %)	40
Emmental (45 %)	31
Tomme (45 %)	30
Roquefort (50 %)	30
Fromage frais double crème	28
Brie (50 %)	26
Parmesan (32 %)	26
Gouda (40 %)	22
Fromage de chèvre (45 %)	22
Camembert (45 %)	22
Feta (45 %)	19
Mozzarella (45 %)	16
Bel Paese (30 %)	15
Fromage fondu (20 %)	10
Fromage frais (20 %)	8

Poissons et fruits de mer	Teneur en lipides pour 100 g
Anguille	25
Hareng	18
Thon	16
Saumon	14
Maquereau	12
Sardine	5
Truite	3
Crevettes	1
Moules	1
Brochet	1
Cabillaud	1
Colin	1
Bar	1
Seiche	1

Viandes	Teneur en lipides pour 100 g
Échine de porc	20
Canard	17
Poitrine de bœuf	16
Cuisse de poulet (sans la peau)	8
Côte d'agneau (dégraissée)	8
Côte de porc (dégraissée)	8
Rosbif	4
Filet de bœuf	4
Cuisse de dinde (sans la peau)	4
Râble de lapin	4
Escalope de veau	2
Filet mignon de porc	2
Escalope de porc	2
Blanc de poulet (sans la peau)	1
Escalope de dinde	1

Charcuterie	Teneur en lipides pour 100 g
Lard de poitrine maigre	65
Rillettes	55
Boudin noir	40
Merguez	40
Pâté de foie	40
Salami	40
Jambon cru (avec le gras)	35
Saucisse de Toulouse	35
Saucisson sec	35
Mortadelle	33
Saucisses de Francfort	24
Jambon cuit	13
Viande des Grisons	10
Blanc de dinde cuit	2

Snacks salés	Teneur en lipides pour 100 g
Cacahuètes grillées	50
Chips	40
Biscuits soufflés à la cacahuète	36
Bretzels	1

Pâtisseries	
Barres chocolatées	30
Chocolat au lait	30
Pâte d'amande	25
Gâteau à la crème	20
Gâteau au fromage blanc	8
Cake aux fruits	6
Oursons gélifiés	0

Entrées et soupes

Mousse de betterave
au raifort

Rapide à préparer, cette mousse au goût prononcé régale les yeux et le palais

Pour 4 personnes

350 g de **betteraves rouges**

250 g de **fromage blanc** à 20 %

1 rondelle de **raifort** frais

(ou 1 c. à s. de raifort en conserve)

50 cl de **crème** fraîche • **Sel**

Poivre du moulin • 1 c. à s.

de **vinaigre balsamique** • 20 g de

pecorino (ou de parmesan)

175 kcal, lipides : 10 g

Préparation

1 Nettoyez les betteraves sans les éplucher, mettez-les dans une casserole avec une petite quantité d'eau et faites-les cuire 40 minutes. Égouttez-les, rincez-les à l'eau froide et pelez-les (de préférence avec des gants de ménage pour ne pas vous rougir les mains).

2 Râpez-en le tiers environ. Réduisez le reste en purée, à la fourchette ou au mixeur, et mélangez avec le fromage blanc dans un saladier.

3 Épluchez le raifort, râpez-le aussi finement que possible s'il est frais et incorporez-le avec la crème à la mousse de betterave. Salez, poivrez et ajoutez le vinaigre balsamique.

4 Répartissez la mousse dans quatre coupes et ajoutez la betterave râpée sur le dessus. Râpez le pecorino (ou le parmesan) sur l'ensemble et décorez éventuellement avec quelques feuilles de betterave. Servez avec du pain de campagne.

Si vous souhaitez préparer cette mousse encore plus rapidement, utilisez des betteraves précuites, vendues en sachet sous vide.

Légumes verts
et sauce au thon

Préparation

1 Lavez les légumes. Épluchez les asperges et coupez les queues. Fendez les courgettes en quatre et les branches de céleri en deux dans la longueur, et détaillez le tout en tronçons d'environ 10 cm de long. Équeutez les haricots verts, lavez-les, ainsi que les pois gourmands, et égouttez-les. Pelez les oignons nouveaux, lavez-les et coupez-les en deux. Lavez soigneusement le citron vert à l'eau chaude et râpez-en finement le zeste.

2 Faites bouillir 1 cm d'eau dans le compartiment inférieur d'un cuit-vapeur. Placez les légumes dans le panier perforé, salez et poivrez, parsemez de zeste de citron vert et faites cuire *al dente*, environ 15 minutes.

3 Mixez le thon avec son jus, la crème et le jus de citron et réduisez en purée. Versez le mélange dans un bol.

4 Lavez le persil, séchez-le, effeuillez-le et hachez-le finement. Ajoutez-le, ainsi que les câpres, à la sauce au thon, mélangez, salez et poivrez. Servez les légumes et la sauce séparément, avec du pain de campagne.

14

Pour 4 personnes

1,5 kg environ de **légumes** variés

(asperges vertes, courgettes, céleri en

branches, haricots verts, pois gourmands,

oignons nouveaux, par exemple)

1 **citron vert** non traité • **Sel** • **Poivre**

du moulin • 1 boîte de **thon au naturel**

(poids net égoutté 150 g)

2 c. à s. de **crème** fraîche

1/2 bouquet de **persil**

2 c. à s. de petites **câpres**

173 kcal, lipides : 7 g

Pour 4 personnes

2 c. à s. d'**amandes** en poudre

150 g de **yaourt** au lait entier

1 c. à s. de jus de **citron**

1 pincée de **sel marin**

Poivre du moulin

1/2 bouquet de **mélisse** (ou de menthe)

300 g de **carottes** • **1 pomme**

1 c. à s. d'**amandes** mondées

112 kcal, lipides : 6 g

Carottes râpées
à la mélisse

Préparation

1 Mélangez soigneusement au fouet, dans un saladier, la poudre d'amandes, le yaourt, le jus de citron et le sel, et donnez un tour de moulin à poivre.

2 Lavez la mélisse (ou la menthe), séchez-la et effeuillez-la. Réservez une douzaine de petites feuilles entières pour la décoration. Ciselez le reste et ajoutez-le à la sauce.

3 Pelez les carottes, lavez-les, râpez-les et incorporez-les à la sauce. Coupez la pomme en deux, pelez-la, ôtez le cœur et les pépins. Hachez-la grossièrement et incorporez-la à la salade.

4 Hachez grossièrement les amandes entières, faites-les dorer à sec dans une poêle et saupoudrez-en la salade. Décorez avec les feuilles de mélisse (ou de menthe) réservées.

Salade d'asperges
et roulades de rosbif

Saluez le printemps : asperges tendres, viande savoureuse et radis croquants
aiguisent l'appétit des gourmets

Pour 4 personnes

1,2 kg d'asperges • Sel • 10 g de

beurre • 1 c. à s. de jus de citron

1 c. à c. de sucre • 1 botte de radis

1 botte d'oignons nouveaux

1/2 citron • 1 c. à s. de vinaigre

de fruit • 1 c. à s. de moutarde

Poivre du moulin • 1 c. à c.

de miel • 2 c. à s. d'huile de noix

1 botte de ciboulette • 1 pomme

150 g de tranches de rosbif cuit

▸▸ **222 kcal, lipides : 10 g**

Préparation

1 Pelez les tiges des asperges et coupez les queues. Remplissez d'eau un
faitout, salez-la, ajoutez le beurre, le jus de citron et le sucre, et portez
à ébullition. Plongez-y les asperges et faites-les cuire 15 minutes.

2 Triez les radis, lavez-les et coupez-les en quatre. Pelez les oignons
nouveaux, lavez-les et détaillez-les en tronçons en diagonale. Pressez
le demi-citron.

3 Mélangez le jus de citron, le vinaigre, la moutarde et le miel dans
un bol. Salez et poivrez, puis émulsionnez la sauce en incorporant
l'huile au fouet.

4 Lavez la ciboulette, séchez-la et coupez les brins en deux. Réservez-en
une douzaine pour la décoration. Égouttez les asperges et laissez-les
tiédir. Coupez la pomme en quatre, ôtez le cœur et les pépins,
et coupez-la en tranches fines. Coupez les asperges en deux
et répartissez-les dans quatre assiettes avec les radis, les tranches
de pomme, les oignons, les tranches de rosbif roulées et la ciboulette.

5 Versez la sauce sur la salade. Garnissez avec la ciboulette réservée
et servez avec du pain frais.

**Les huiles aromatiques, telle l'huile
de noix, de noisette ou de sésame,
apportent un goût original et des acides
gras essentiels.**

Gambas

en manteau vert

Ces **succulentes** mini-brochettes d'inspiration asiatique, servies chaudes ou froides, agrémentent un buffet ou un repas **raffiné**

Pour 4 personnes

8 grosses **gambas** fraîches

2 **poireaux** • **Sel** • 2 gousses d'**ail**

1 morceau de **gingembre**

de la grosseur d'une noisette

1/2 bouquet de **persil**

1 c. à s. de **miel** • Jus de 1 **citron**

4 c. à s. de **xérès sec**

4 c. à s. d'**huile de sésame**

Poivre du moulin

2 **citrons verts** non traités

1 c. à s. de **graines de sésame**

▶▶ **170 kcal, lipides : 7 g**

Préparation

1 Décortiquez les gambas et ôtez l'intestin noir le long du dos. Rincez-les et séchez-les. Coupez les extrémités des poireaux, ôtez les premières feuilles et lavez-les soigneusement. Remplissez d'eau une casserole, salez-la et portez-la à ébullition. Choisissez 8 belles feuilles de poireau, plongez-les quelques minutes dans l'eau bouillante, rincez-les à l'eau froide et égouttez-les.

2 Épluchez l'ail, pelez le gingembre et hachez-les finement. Lavez le persil, séchez-le, effeuillez-le et hachez-le finement. Mélangez le miel, le jus de citron, le xérès et 3 cuillerées à soupe d'huile dans un saladier. Ajoutez l'ail, le gingembre et le persil, salez et poivrez. Incorporez les gambas, mélangez bien et laissez-les mariner environ 20 minutes.

3 Retirez les gambas de la marinade et séchez-les sur du papier absorbant. Enroulez une feuille de poireau autour de chacune d'elles et maintenez le rouleau fermé avec un petit bâtonnet de bois.

4 Lavez les citrons verts à l'eau très chaude et coupez-les en rondelles. Chauffez 1 cuillerée à soupe d'huile dans une poêle et faites-y griller les gambas, en les retournant, environ 5 minutes. Saupoudrez de graines de sésame et servez-les accompagnées des rondelles de citron vert.

Les aliments ainsi préparés sont imprégnés de marinade à l'huile et leur cuisson requiert ainsi moins de matière grasse.

Salade de printemps
aux herbes aromatiques

Préparation

1 Lavez les légumes, épluchez-les si nécessaire et détaillez-les en morceaux. Remplissez d'eau une casserole, salez-la et portez-la à ébullition. Plongez-y les légumes, les uns après les autres, quelques minutes. Sortez-les à l'aide d'une écumoire, rincez-les à l'eau froide et égouttez-les.

2 Épluchez les fenouils, lavez-les, coupez-les en deux, puis émincez-les en diagonale. Triez la roquette et les herbes aromatiques, lavez-les et séchez-les. Pelez les oignons, lavez-les et émincez-les.

3 Faites fondre le beurre dans une sauteuse et faites-y revenir les légumes verts et le fenouil quelques minutes. Salez et poivrez. Répartissez les légumes, la roquette et les herbes dans quatre coupelles.

4 Lavez soigneusement le demi-citron à l'eau chaude, séchez-le, coupez-le en tranches, détaillez-les en dés et faites-les revenir à la poêle 1 minute. Ajoutez le bouillon et l'huile d'olive, salez et poivrez. Incorporez les oignons et versez sur la salade. Parsemez de miettes de roquefort.

Pour 4 personnes

1 kg de **légumes verts** (brocolis, haricots verts, épinards, courgettes, pois gourmands)

Sel • 2 bulbes de **fenouil**

150 g de **roquette**

1 bouquet d'**herbes aromatiques** mélangées (persil, estragon et cerfeuil, par exemple)

2 **oignons nouveaux** • 1/2 **citron** non traité •

10 g de **beurre** • **Poivre** du moulin

4 c. à s. de **bouillon de légumes** • 2 c. à s.

d'**huile d'olive** • 75 g de **roquefort**

209 kcal, lipides : 11 g

Pour 4 personnes

250 g de **pommes de terre** farineuses

1 c. à s. de **pignons de pin**

1 bouquet de **basilic**

125 g de **fromage frais** à 20 %

Sel • Poivre blanc

1 blanc d'**œuf**

50 g de **crème** fleurette (ou liquide)

500 g de petites **tomates en grappe**

1 c. à s. de **vinaigre balsamique**

1 c. à s. d'**huile d'olive**

▶▶ **168 kcal, lipides : 8 g**

Quenelles au basilic
sur lit de tomates

Préparation

1 Lavez les pommes de terre et mettez-les dans une casserole. Ajoutez 2 verres d'eau et faites-les cuire à couvert 20 à 25 minutes. Faites dorer les pignons à sec dans une poêle antiadhésive. Lavez le basilic, séchez-le, réservez quelques feuilles pour la décoration et hachez finement le reste.

2 Égouttez les pommes de terre, pelez-les et réduisez-les en purée dans un plat creux. Incorporez-y les pignons, le basilic et le fromage frais.

3 Salez, poivrez et laissez refroidir le mélange. Battez le blanc d'œuf en neige ferme et la crème en chantilly. Incorporez-les à la préparation. Couvrez et laissez reposer 2 heures.

4 Lavez les tomates, séchez-les, coupez-les en rondelles et répartissez-les dans quatre assiettes. Salez et poivrez, arrosez avec le vinaigre et l'huile. Prélevez des quenelles de préparation au basilic à l'aide de 2 cuillères passées sous l'eau froide et déposez-les sur les rondelles de tomate. Décorez avec les feuilles de basilic réservées.

Ballotins
farcis à la mangue

Un délice d'Extrême-Orient, alliant la douceur de la mangue
et l'agressivité du piment

Pour 4 personnes

1 c. à s. d'**huile de sésame**

ou d'arachide

50 g de **riz rond** pour risotto

(*arborio* ou *vialone*)

30 cl de **bouillon de légumes**

Sel • 12 **galettes de riz** de 16 cm

de diamètre • 1 **poireau**

4 **oignons nouveaux**

1 **citron vert** non traité

1 **piment rouge** • 1 **mangue**

▶▶ **201 kcal, lipides : 3 g**

Préparation

1 Chauffez l'huile dans une sauteuse et faites-y revenir le riz quelques minutes, en le tournant à l'aide d'une cuillère en bois. Ajoutez le bouillon, salez, couvrez et laissez cuire à feu doux environ 25 minutes. Séparez les galettes de riz, disposez-les sur un torchon propre mouillé, arrosez-les d'eau et recouvrez-les d'un autre torchon mouillé. Laissez-les ramollir 10 à 15 minutes.

2 Coupez les extrémités du poireau, ôtez les premières feuilles et lavez-le soigneusement. Remplissez d'eau une casserole, salez-la et portez-la à ébullition. Choisissez 8 belles feuilles de poireau, plongez-les quelques minutes dans l'eau bouillante, rincez-les à l'eau froide et égouttez-les. Coupez-les en lanières de 2 ou 3 mm de large dans la longueur.

3 Pelez les oignons, lavez-les et émincez-les. Lavez le citron vert à l'eau chaude, séchez-le, râpez finement le zeste et pressez le jus. Fendez le piment en deux, épépinez-le, lavez-le et hachez-le finement. Mélangez 2 cuillerées à soupe d'oignon, 2 cuillerées à soupe de jus de citron et 1 cuillerée à café de piment dans un bol. Réservez cette sauce. Incorporez au riz le reste du hachis d'oignon, de piment et de jus de citron. Pelez la mangue et séparez la chair du noyau. Coupez la moitié de la chair en tranches décoratives, détaillez le reste en petits dés et incorporez-les au riz.

4 Disposez sur chaque galette de riz une bonne cuillerée de riz cuit et fermez-la avec des lanières de poireau. Répartissez les ballotins et les tranches de mangue dans quatre assiettes, et arrosez chacune de 1 cuillerée à café de sauce au citron. Servez le reste de la sauce à part.

Soupe froide au concombre
et à l'aneth

Cette soupe d'été, servie froide à la fin d'une chaude journée,
revigore et reminéralise

Pour 4 personnes

2 **concombres** • 1 gousse d'**ail**

30 cl de **bouillon de légumes**

100 g de **fromage blanc** à 0 %

400 g de **yaourt** au lait entier

Sel • **Poivre** du moulin

2 **œufs**

2 gros **cornichons** aigres-doux

1/2 bouquet d'**aneth**

>> **160 kcal, lipides : 8 g**

Préparation

1 Lavez les concombres. Épluchez 1 concombre et la moitié de l'autre, fendez-les en deux dans la longueur, épépinez-les à l'aide d'une cuillère et détaillez-les en dés. Réservez le demi-concombre restant.

2 Épluchez l'ail et hachez-le finement. Mixez les dés de concombre, le bouillon, le fromage blanc, le yaourt et l'ail. Salez et poivrez généreusement.

3 Remplissez d'eau une casserole, portez-la à ébullition et plongez-y les œufs environ 8 minutes. Rincez-les à l'eau froide et écalez-les. Hachez les œufs et les cornichons, incorporez-les à la préparation mixée et mettez-la au réfrigérateur 1 heure.

4 Lavez l'aneth, séchez-le, gardez-en quelques brins pour la décoration et hachez finement le reste. Incorporez-le à la soupe froide. Décorez avec les brins d'aneth et le morceau de concombre réservé coupé en rondelles fines.

Vous pouvez remplacer les œufs durs par des croûtons. Détaillez en dés 2 tranches de pain complet et faites-les griller avec 1 noix de beurre dans une poêle antiadhésive, en remuant constamment.

Soupe de légumes
et pistou au pissenlit

Un **pistou** original relève une simple soupe de légumes et lui donne
ses lettres de **noblesse**

Pour 2 personnes

150 g de **pissenlits** • 2 c. à s. de

pignons de pin • 2 gousses d'ail

3 c. à s. d'**huile d'olive**

80 cl de **bouillon de légumes**

Sel • **Poivre** du moulin

20 g de **parmesan** à la coupe

2 **pommes de terre** • 1/2 **chou**

frisé • 1 grosse **carotte**

150 g de **pois gourmands**

4 cl de **xérès sec**

233 kcal, lipides : 10 g

Préparation

1 Triez les pissenlits, lavez-les, essorez-les et hachez-en la moitié.
Épluchez l'ail et écrasez-le. Hachez les pignons. Râpez le parmesan.
Mixez les pissenlits hachés avec les pignons, l'ail, 2 cuillerées à soupe
d'huile et 2 cuillerées à soupe de bouillon. Salez, poivrez et incorporez
le parmesan.

2 Pelez les pommes de terre et la carotte, enlevez les premières feuilles
du chou. Lavez les légumes et détaillez-les en petits dés. Lavez les pois
gourmands et coupez-les en deux, en diagonale. Séparez les bouquets
de pissenlits.

3 Chauffez 1 cuillerée à soupe d'huile dans une poêle et faites-y revenir
les dés de pomme de terre, de chou et de carottes. Mouillez avec
le bouillon restant et laissez cuire à couvert environ 10 minutes.
Ajoutez les pois gourmands et poursuivez la cuisson 2 minutes.
Arrosez avec le xérès, salez et poivrez.

4 Répartissez la soupe dans deux assiettes, décorez avec les pissenlits
réservés et servez le pistou au pissenlit à part.

**Il est parfois difficile de se procurer des
pissenlits, même en saison. Remplacez-les
alors par de la roquette, qui corse le goût
du pistou.**

Soupe orientale
au poulet

L'arôme du citron apporte une fraîcheur incomparable à cette soupe de légumes digne des Mille et Une Nuits

Pour 4 personnes

400 g de **légumes verts** (épinards, bette et chou chinois, par exemple)

Sel • 1 l de **bouillon de volaille**

1 blanc de **poulet rôti**

(et sa carcasse)

1 **oignon** • 2 gousses d'**ail**

1 **carotte**

2 branches de **céleri**

20 g de **beurre**

4 tranches de **pain de mie**

1 **citron** non traité

Poivre du moulin

160 kcal, lipides : 4 g

Préparation

1 Lavez les légumes verts. Remplissez d'eau une casserole, salez-la et portez-la à ébullition. Plongez-y les légumes quelques minutes. Rincez-les à l'eau froide et égouttez-les soigneusement.

2 Portez le bouillon à ébullition dans une casserole. Rincez le blanc de poulet, séchez-le et faites-le cuire 10 minutes dans le bouillon, à feu doux. Sortez-le et filtrez le bouillon à travers un chinois.

3 Pelez l'oignon, épluchez l'ail et hachez-les finement. Pelez la carotte, ôtez les côtes et le pied des branches de céleri, et lavez-les. Détaillez-les en bâtonnets fins.

4 Chauffez 10 g de beurre dans une sauteuse et faites-y blondir à feu moyen l'oignon, l'ail et les bâtonnets de légumes, jusqu'à ce que l'oignon soit transparent. Mouillez avec le bouillon, chauffez et maintenez le frémissement environ 20 minutes, sans faire bouillir.

5 Détaillez les tranches de pain de mie en dés. Chauffez 10 g de beurre dans une sauteuse et faites-y griller le pain.

6 Lavez soigneusement le citron à l'eau chaude, râpez 1 cuillerée à café de zeste et pressez le jus. Débarrassez le blanc de poulet de sa peau et de sa carcasse. Coupez-le en lanières fines et ajoutez-les, avec les légumes verts, au bouillon. Salez et poivrez. Incorporez le jus et le zeste de citron, garnissez avec le pain de mie grillé et servez. La soupe ne doit pas être bouillante.

Poissons et viandes

Marmite
aux fruits de mer

Délectez-vous : la pêche matinale a été bonne,

et un homard s'est même laissé prendre

Pour 4 personnes

2 **oignons** • 4 gousses d'**ail**

1 **piment rouge** • 1 **piment vert**

4 **tomates** • 3 c. à s. d'**huile**

d'olive • 250 g de **concentré de**

tomates • 35 cl de **vin blanc**

2 branches d'**origan**

Sel • **Poivre** du moulin

500 g de **moules**

500 g de **filets de loup**

1 c. à s. de **jus de citron**

1 **homard** cuit (environ 500 g)

1/2 bouquet de **persil**

315 kcal, lipides : 5 g

1 Pelez les oignons, épluchez l'ail et émincez-les. Lavez les piments, fendez-les en deux, épépinez-les et hachez-les finement. Remplissez d'eau une casserole et portez-la à ébullition. Plongez-y les tomates 1 minute, rafraîchissez-les à l'eau froide, pelez-les, coupez-les en deux et épépinez-les. Lavez l'origan, séchez-le et effeuillez-le.

2 Chauffez l'huile dans une cocotte et faites-y blondir le hachis d'oignon, d'ail et de piment. Mélangez le vin et le concentré de tomates dans un bol, et versez le mélange dans la cocotte. Ajoutez les tomates et l'origan, mélangez, salez et poivrez généreusement. Couvrez et laissez frémir à feu doux environ 15 minutes.

3 Nettoyez les moules, lavez-les soigneusement et jetez celles qui sont ouvertes. Rincez les filets de loup, séchez-les, détaillez-les en morceaux et arrosez-les avec le jus de citron. Ouvrez le homard dans la longueur, enlevez la poche à graviers et cassez les pinces au marteau ou au casse-noix. Sortez la chair du coffre et des pinces, et détaillez-la en cubes. Versez les morceaux de loup, les moules et les cubes de homard dans la cocotte et laissez cuire à petit feu 7 minutes.

4 Lavez le persil, séchez-le, effeuillez-le et hachez-le grossièrement. Parsemez-le sur la préparation et servez dans la cocotte.

32

Filets de flétan
en papillote

L'enveloppe de papier sulfurisé empêche la chair tendre du poisson de se dessécher au four et préserve son arôme

Pour 4 personnes

2 petits **poireaux**

10 **olives farcies** au poivron

4 gousses d'**ail**

1 bouquet de **thym** frais

4 **filets de flétan**

4 **citrons** non traités

4 c. à s. d'**huile**

Sel • **Poivre** du moulin

▶▶ **267 kcal, lipides : 10 g**

Préparation

1 Préchauffez le four à 200 °C (th. 7). Coupez les extrémités des poireaux, ôtez les premières feuilles, lavez-les soigneusement et détaillez-les en tronçons de 5 cm. Coupez les olives en rondelles. Épluchez les gousses d'ail et coupez-les en deux dans la longueur. Lavez le thym, séchez-le et effeuillez-le. Rincez les filets de flétan et séchez-les.

2 Lavez soigneusement 2 citrons à l'eau chaude, séchez-les et coupez-les en quartiers fins. Pressez les 2 autres. Mélangez 4 cuillerées à soupe de jus de citron et 2 cuillerées à soupe d'huile dans un bol. Salez et poivrez.

3 Préparez 8 feuilles de papier sulfurisé d'environ 20 x 30 cm. Placez-les deux par deux l'une sur l'autre et badigeonnez-les légèrement de 1 cuillerée à soupe d'huile à l'aide d'un pinceau alimentaire ou de papier absorbant. Répartissez-y les tronçons de poireau, salez et poivrez. Posez les filets de poisson sur le lit de poireaux, arrosez-les de marinade et répartissez dessus les olives, le thym, les quartiers de citron et les demi-gousses d'ail.

4 Refermez les papillotes et maintenez-les éventuellement avec du fil de cuisine. Badigeonnez la plaque du four de 1 cuillerée à soupe d'huile à l'aide d'un pinceau alimentaire ou de papier absorbant et disposez-y les papillotes. Enfournez à mi-hauteur et laissez cuire environ 20 minutes. Sortez les papillotes du four, placez-les chacune sur une assiette, entrouvrez-les et servez.

Pour un poisson encore plus savoureux, ajoutez des rondelles de tomate ou de courgette dans la papillote.

Filets de merlan
au céleri et à l'orange

Préparation

1 Ôtez les côtes et le pied des branches de céleri, lavez-les, séchez-les et réservez quelques feuilles pour la décoration. Détaillez-les en morceaux d'environ 1 cm d'épaisseur. Remplissez d'eau une casserole, salez-la et portez-la à ébullition. Plongez-y les morceaux de céleri 5 minutes. Rincez-les à l'eau froide et égouttez-les soigneusement.

2 Pelez les oranges à vif et débarrassez les quartiers des peaux intermédiaires en récupérant le jus dans un bol.

3 Rincez les filets de merlan et séchez-les. Arrosez-les de jus de citron, salez et poivrez. Chauffez le beurre dans une poêle et faites-y dorer les filets de merlan à feu vif 3 minutes de chaque côté, retirez-les de la poêle et maintenez-les au chaud.

4 Versez l'huile et le jus d'orange dans la poêle, portez à ébullition et arrêtez le feu. Ajoutez le céleri et poivrez. Répartissez les filets de merlan et le céleri dans quatre assiettes, décorez avec les quartiers d'orange et les feuilles de céleri.

36

Pour 4 personnes

8 branches de **céleri**

Sel • 2 c. à s. de **jus de citron**

4 **oranges**

4 **filets de merlan** (environ 250 g chacun)

Poivre du moulin

10 g de **beurre**

2 c. à s. d'**huile d'olive**

▷▷ **365 kcal, lipides : 8 g**

Pour 4 personnes

500 g d'**asperges vertes**

300 g de **saumon fumé**

1 **citron** non traité • **Sel**

400 g de **tagliolini** frais

(ou de tagliatelle)

1 c. à s. d'**huile d'olive**

Poivre du moulin

▶▶ 600 kcal, lipides : 16 g

Tagliolini
au saumon et aux asperges

Préparation

1 Lavez les asperges, ôtez le tiers des tiges et détaillez le reste en tronçons. Coupez le saumon en lanières fines. Lavez soigneusement le citron à l'eau chaude, prélevez 2 cuillerées à soupe de zeste, pressez le jus et réservez-le.

2 Remplissez d'eau une casserole, salez-la et portez-la à ébullition. Plongez-y les asperges 8 minutes. Rincez-les à l'eau froide et égouttez-les soigneusement. Remplissez d'eau une casserole, salez-la et portez-la à ébullition. Plongez-y

les tagliolini (ou les tagliatelle) 2 minutes et versez-les dans une passoire.

3 Chauffez l'huile dans une grande poêle et faites-y revenir les asperges 1 minute. Assaisonnez généreusement de sel, de poivre et de jus de citron.

4 Ajoutez le zeste de citron et les tagliolini, et réchauffez le tout. Incorporez les lanières de saumon en dernier et servez.

Cabillaud
sur lit de légumes

Légumes croquants, fumet aromatique : le cabillaud est en bonne compagnie

Pour 4 personnes

5 échalotes • 500 g de **pommes de terre** • 100 g de **céleri-rave**

2 **carottes**

1 **poireau** • 4 **tomates**

20 g de **beurre**

Sel • Poivre du moulin

1 gousse d'**ail**

2 feuilles de **laurier**

12 cl de **vin blanc**

40 cl de **fumet de poisson**

1,2 kg de **cabillaud**

1 **citron** • 1/2 bouquet de **persil**

566 kcal, lipides : 9 g

Préparation

1 Pelez les échalotes, les pommes de terre, le céleri-rave et les carottes, lavez-les et séchez-les. Coupez la racine du poireau, ôtez les feuilles vertes, fendez le blanc en deux et lavez-le soigneusement. Coupez les échalotes en rondelles, et détaillez les pommes de terre et le céleri-rave en cubes, et les carottes, en tronçons en diagonale.

2 Remplissez d'eau une casserole et portez-la à ébullition. Plongez-y les tomates 1 minute, rafraîchissez-les à l'eau froide, pelez-les, coupez-les en quartiers et épépinez-les. Faites fondre le beurre dans une sauteuse et faites-y revenir les échalotes et les légumes. Salez et poivrez. Épluchez l'ail, hachez-le finement et ajoutez-le aux légumes, avec les feuilles de laurier. Mouillez avec le vin et le fumet de poisson.

3 Rincez le cabillaud, séchez-le, salez et poivrez-le. Pressez le citron et arrosez le poisson avec le jus. Mettez-le dans la sauteuse avec les légumes, couvrez et laissez cuire à feu moyen 35 à 40 minutes.

4 Lavez le persil, séchez-le, effeuillez-le et hachez-le finement. Parsemez-le sur le poisson. Servez directement dans la sauteuse ou répartissez le poisson et les légumes dans quatre assiettes.

Les poissons qui se tiennent bien à la cuisson peuvent être préparés de la même manière : perche, perche du Nil, lingue ou églefin.

Poisson-chat
aux lentilles corail

Poisson, lentilles et poireaux : un plat original et savoureux
aux qualités nutritives remarquables

Pour 4 personnes

2 poireaux

2 c. à s. d'huile

200 g de **lentilles corail**

40 cl de **bouillon de légumes**

2 **citrons verts** non traités

500 g de filet de **poisson-chat**

(ou de cabillaud)

Sel • **Poivre** du moulin

1/2 bouquet d'**estragon**

ou de **persil**

1 c. à s. de **vinaigre balsamique**

460 kcal, lipides : 10 g

Préparation

1 Coupez les extrémités des poireaux, ôtez les premières feuilles, lavez-les soigneusement et détaillez-les en tronçons, puis en lanières fines. Chauffez 1 cuillerée à soupe d'huile dans une casserole et faites-y cuire doucement les poireaux en remuant. Ajoutez les lentilles et le bouillon, portez rapidement à ébullition, couvrez et laissez cuire à feu doux 5 à 8 minutes, jusqu'à ce que les lentilles commencent à s'attendrir. Pressez 1 citron vert et réservez le jus. Lavez l'autre soigneusement à l'eau chaude, séchez-le et coupez-le en demi-rondelles.

2 Allumez le gril du four ou un gril électrique. Rincez les filets de poisson-chat (ou de cabillaud), séchez-les et coupez-les en quatre morceaux de taille égale. Salez, poivrez et arrosez-les avec le jus de citron vert. Huilez la grille, posez-y les morceaux de poisson et faites-les dorer environ 4 minutes de chaque côté.

3 Lavez l'estragon ou le persil, séchez-le et hachez-le finement. Versez sur les lentilles le vinaigre balsamique et 2 cuillerées à soupe d'estragon ou de persil haché, salez et poivrez.

4 Répartissez les légumes dans quatre assiettes, disposez les morceaux de poisson par-dessus et salez-les légèrement. Parsemez du reste d'herbes et décorez avec les demi-rondelles de citron vert.

Les lentilles corail, au goût très délicat, ne nécessitent pas de trempage préalable, mais ne supportent pas une cuisson prolongée.

Filets de sandre
au chou-rave

Préparation

1 Rincez les filets de sandre et séchez-les. Salez, poivrez et arrosez-les de jus de citron. Épluchez les choux-raves et détaillez-le en dés. Triez le cresson, lavez-le et séchez-le.

2 Faites fondre 10 g de beurre dans une casserole et faites-y revenir les dés de chou-rave, mouillez avec le vin blanc, laissez cuire 5 minutes, salez et poivrez. Ajoutez le bouillon, couvrez et laissez frémir environ 10 minutes.

3 Faites fondre 10 g de beurre dans une poêle et faites-y dorer les filets de sandre environ 3 minutes de chaque côté.

4 Diluez la maïzena avec 1 cuillerée à soupe d'eau dans un bol et versez-la dans le bouillon au chou-rave. Laissez épaissir et incorporez le vermouth, puis la crème fraîche. Répartissez la sauce au chou-rave dans quatre assiettes et disposez les filets de sandre par-dessus. Garnissez avec les feuilles de cresson et servez.

Pour 4 personnes

4 **filets de sandre** (environ 160 g chacun)

Sel • Poivre du moulin

1 c. à s. de **jus de citron**

400 g de **chou-rave** (ou de navets)

1/2 botte de **cresson**

20 g de **beurre** • 12 cl de **vin blanc**

30 cl de **bouillon de légumes**

1 c. à s. de **maïzena**

3 c. à s. de **vermouth sec**

(Cinzano *dry*, par exemple)

10 cl de **crème fraîche**

▶▶ **261 kcal, lipides : 11 g**

Pour 4 personnes

2 **carottes** • 1 **poireau** • 150 g de **chou**

chinois • 150 g de **chou de Milan**

50 g de **pousses de soja** (haricots mungo)

700 g de **filets de morue**

Sel • **Poivre** du moulin

2 c. à s. de **jus de citron** • 3 c. à s. de

farine • 3 **échalotes** • 2 tiges de

citronnelle • 1 **gousse d'ail**

2 c. à s. d'**huile**

20 cl de **fumet de poisson**

1 **pomme de terre** cuite et épluchée

⟩⟩ **260 kcal, lipides : 7 g**

43

Morue
au wok

Préparation

1 Pelez les carottes. Coupez les extrémités du poireau et ôtez les premières feuilles. Ôtez les premières feuilles des choux. Lavez les carottes, le poireau et les choux, séchez-les et détaillez-les en morceaux fins. Rincez et égouttez les pousses de soja.

2 Détaillez les filets de morue en morceaux, salez, poivrez et arrosez-les de jus de citron. Versez la farine dans une assiette et roulez-y les morceaux de morue de manière à bien les enrober. Pelez les échalotes et détaillez-les en dés. Ôtez les parties blanches des tiges de citronnelle, lavez-les et séchez-les. Épluchez l'ail et écrasez-le.

3 Chauffez l'huile dans le wok, faites-y dorer les morceaux de morue, retirez-les du wok et maintenez-les au chaud hors du feu. Faites revenir les échalotes dans le wok jusqu'à ce qu'elles soient transparentes et ajoutez les morceaux de légumes. Ajoutez la citronnelle et l'ail, mouillez avec le fumet de poisson et incorporez les pousses de soja. Laissez frémir environ 3 minutes et retirez la citronnelle.

4 Écrasez soigneusement la pomme de terre, ajoutez-la dans le wok et liez la sauce à l'aide d'un fouet. Salez et poivrez. Ajoutez les morceaux de morue, réchauffez-les rapidement et servez.

Filets de perche
sauce safranée aux poireaux

Les filets de perche sont agrémentés d'une sauce légère aux poireaux,
relevée par le safran

Pour 4 personnes

2 poireaux • Sel • 5 cl de vin

blanc • 2 c. à s. de **vermouth sec**

(Cinzano *dry*, par exemple)

12 cl de **bouillon de légumes**

10 cl de **crème** fraîche

1 dose de **safran** en poudre

600 à 700 g de **filets de perche**

2 c. à s. d'**huile**

Quelques filaments de **safran**

1/2 bouquet d'**aneth**

▶▶ **262 kcal, lipides: 13 g**

Préparation

1   Coupez les extrémités des poireaux, ôtez les premières feuilles,
    lavez-les soigneusement et coupez-les en rondelles. Remplissez
    d'eau une casserole, salez-la et portez-la à ébullition. Plongez-y les
    rondelles de poireau 4 minutes. Rincez-les à l'eau froide et égouttez-les
    soigneusement.

2   Versez le vin blanc et le vermouth dans une poêle et faites réduire
    de moitié. Incorporez le bouillon, la crème et la poudre de safran,
    puis les rondelles de poireau. Laissez cuire doucement environ
    2 minutes et maintenez au chaud.

3   Rincez les filets de perche, séchez-le, salez et poivrez-les. Chauffez
    l'huile dans une poêle et faites-y dorer les filets de perche à feu
    moyen, des deux côtés.

4   Lavez l'aneth, séchez-le et effeuillez-le. Répartissez les filets de perche
    dans quatre assiettes chaudes et ajoutez la sauce aux poireaux.
    Décorez avec les filaments de safran et les brins d'aneth. Servez avec
    du riz ou des tagliatelle.

**Cette recette, bien connue en Suisse,
est préparée avec du poisson pêché
dans le lac de Constance.**

Mignon de porc
et riz fruité

Le riz aux saveurs créoles qui accompagne ces médaillons de porc
leur apporte une note exotique

Pour 4 personnes

3 oignons nouveaux

2 c. à s. d'huile • 200 g de riz

40 cl de bouillon de légumes

600 g de filet mignon de porc

15 g de beurre

1 petite papaye

1 petit ananas Victoria
de la Réunion • 1 tomate

1 citron vert non traité

Sel • Poivre du moulin

4 cl de xérès sec

15 cl de crème fraîche

▶▶ 558 kcal, lipides : 17 g

Préparation

1 Pelez les oignons, lavez-les et coupez-les en rondelles. Chauffez l'huile dans une sauteuse et faites-y revenir le riz jusqu'à ce que les grains soient transparents. Mouillez avec le bouillon, portez à ébullition, couvrez et laissez cuire environ 20 minutes. Rincez le filet mignon et séchez-le. Faites fondre le beurre dans une poêle et faites-y revenir le filet de tous côtés. Couvrez et laissez cuire 8 à 10 minutes.

2 Pelez la papaye, coupez-la en deux dans la longueur, ôtez le noyau et détaillez la chair en petits dés. Écorcez l'ananas et coupez la pulpe en tranches, puis en quartiers. Lavez la tomate et détaillez-la en dés. Incorporez les dés de fruits et de tomate au riz, et mélangez. Lavez soigneusement le citron vert à l'eau chaude, prélevez 2 cuillerées à soupe de zeste à l'aide d'un couteau zesteur, pressez-le et réservez le jus.

3 Sortez la viande de la poêle, salez, poivrez, enveloppez-la dans du papier d'aluminium pour qu'elle ne refroidisse pas. Éliminez de la poêle, si nécessaire, la matière grasse en excès et déglacez les sucs de cuisson avec le xérès. Incorporez la crème, mélangez et laissez frémir quelques minutes. Salez, poivrez et versez quelques gouttes de jus de citron vert. Salez et poivrez le riz, incorporez-y zeste et jus de citron vert. Coupez le filet mignon en tranches. Répartissez le riz dans quatre assiettes et disposez les médaillons de porc par-dessus.

Vous pouvez pocher la viande au lieu
de la cuire au beurre : portez à ébullition
1 litre de bouillon de légumes, et faites-y cuire
le filet mignon à feu doux 10 à 12 minutes.

Blancs de poulet
et légumes à l'orange

Une version légère aux épices venues d'Orient du classique canard à l'orange

Pour 4 personnes

4 oranges • 12 cl de vin blanc

1 pincée de coriandre en poudre

4 blancs de poulet (environ 500 g)

Sel • Poivre du moulin

400 g de carottes • 2 branches

de céleri • 1 oignon

3 c. à s. d'huile

12 cl de bouillon de volaille

1 c. à c. de jus de citron

1 pincée de cumin en poudre

1 pincée de cannelle en poudre

1 pincée de sucre en poudre

2 c. à c. de sirop d'érable

1/2 bouquet de persil

300 kcal, lipides : 7 g

48

Préparation

1 Pressez 1 orange, versez le jus dans un bol avec 2 cuillerées à soupe de vin et la poudre de coriandre, et mélangez. Rincez les blancs de poulet, séchez-les et mettez-les dans un plat creux. Salez et poivrez, arrosez de sauce à l'orange et laissez macérer environ 20 minutes.

2 Pelez les carottes, et ôtez les côtes et le pied des branches de céleri. Lavez-les et séchez-les. Détaillez les carottes et le céleri en petits dés. Pelez l'oignon et émincez-le. Chauffez 1 cuillerée à soupe d'huile dans une sauteuse et faites-y revenir l'oignon. Ajoutez les carottes et le céleri, et faites-les revenir 5 minutes. Ajoutez le bouillon de volaille, le reste du vin, le jus de citron, le cumin, la cannelle et le sucre. Couvrez et laissez cuire à feu doux 15 minutes.

3 Chauffez 2 cuillerées à soupe d'huile dans une poêle et faites-y dorer les blancs de poulet des deux côtés. Arrosez-les avec le sirop d'érable et poursuivez la cuisson 10 minutes en les retournant.

4 Pelez 3 oranges à vif et débarrassez les quartiers des peaux intermédiaires en récupérant le jus dans un bol. Lavez le persil, séchez-le, effeuillez-le et hachez-le finement. Incorporez les quartiers et le jus d'orange, ainsi que le persil haché aux légumes dans la sauteuse. Réchauffez et rectifiez l'assaisonnement. Sortez les blancs de poulet, coupez-les en tranches et servez-les avec les légumes.

Vous pouvez garnir le plat de cerneaux de noix et de zestes fins d'orange non traitée.

Poulet braisé
aux champignons et aux légumes

Préparation

1 Nettoyez les champignons et coupez-les en morceaux. Épluchez l'ail, pelez les échalotes et émincez-les. Ôtez les côtes et le pied des branches de céleri, pelez les carottes et les pommes de terre, lavez-les, séchez-les et détaillez-les en dés. Écossez les petits pois ou faites-les décongeler.

2 Chauffez 1 cuillerée à soupe d'huile dans une poêle et faites-y revenir les champignons à feu vif 1 minute. Réservez-les dans un bol. Salez et poivrez les morceaux de poulet et faites-les revenir dans la poêle. Réservez-les dans un plat.

3 Chauffez 1 cuillerée à soupe d'huile dans une sauteuse et faites-y revenir l'ail, les échalotes et les dés de céleri, de carotte et de pomme de terre 5 minutes. Mouillez avec le vin, portez à ébullition, puis baissez la flamme et laissez frémir.

4 Ajoutez le bouillon, le poulet, le laurier et le thym. Salez, poivrez, couvrez et laissez mijoter environ 35 minutes. Ajoutez les petits pois, laissez cuire 5 minutes et incorporez les champignons. Lavez l'aneth, séchez-le et effeuillez-le. Disposez les morceaux de poulet et les légumes dans un plat, et décorez avec l'aneth.

Pour 4 personnes

50 g de **champignons** mélangés

4 gousses d'**ail** • 10 **échalotes**

3 branches de **céleri** • 2 **carottes**

200 g de petites **pommes de terre**

50 g de **petits pois** écossés

1 **poulet** prêt à cuire (environ 1 kg, coupé en morceaux) • **Sel** • **Poivre** du moulin • 2 c. à s. d'**huile** • 15 cl de **vin blanc** • 0,5 l de **bouillon de légumes** • 2 feuilles de **laurier**

1 c. à c. de **thym** séché

1/2 bouquet d'**aneth**

>> **435 kcal, lipides : 20 g**

Pour 4 personnes

1 tête d'**ail**

750 g de **filet de bœuf**

Sel • **Poivre** du moulin

15 g de **beurre** • 1 **échalote**

1 c. à s. d'**huile d'olive**

1 c. à s. de **concentré de tomates**

1 boîte de **tomates pelées** (poids net

égoutté 240 g) • 1 pincée de **sucre**

Quelques gouttes de **Tabasco**

1 **citron** non traité

280 kcal, lipides: 10 g

Filet de bœuf
à la sauce tomate

Préparation

1 Préchauffez le four à 200 °C (th. 7). Salez et poivrez le filet de bœuf. Chauffez le beurre dans une sauteuse et faites-y revenir le filet de bœuf sur tous ses côtés. Mettez-le sur la plaque du four, répartissez tout autour les gousses d'ail, enfournez et laissez cuire environ 25 minutes. Maintenez la viande au chaud, four éteint et porte ouverte.

2 Pelez l'échalote et hachez-la finement. Chauffez l'huile dans une poêle et faites-y revenir l'échalote jusqu'à ce qu'elle soit transparente. Ajoutez le concentré de tomates, les tomates pelées et leur jus. Écrasez les tomates à la fourchette, salez et poivrez. Incorporez 1 pincée de sucre et quelques gouttes de Tabasco, et laissez frémir environ 10 minutes.

3 Coupez le filet en tranches et disposez-le dans un plat, avec les gousses d'ail. Recouvrez-le de sauce tomate et garnissez avec des quartiers de citron.

Noix de veau
aux légumes

Les plats mijotés demandent de la patience, mais la récompense est savoureuse

Pour 4 personnes

1 oignon • 3 carottes • 2 poireaux

600 g de **noix de veau**

(en 4 morceaux) • **Sel** • **Poivre** du

moulin • 2 c. à s. d'**huile** • 10 cl

de **vin blanc** • 0,5 l de **bouillon**

de légumes • 2 c. à c. de **maïzena**

3 c. à s. de **crème** fraîche

1/2 bouquet de **thym** frais

(ou de persil)

346 kcal, lipides : 17 g

Préparation

1 Pelez l'oignon et détaillez-le en petits dés. Pelez les carottes et détaillez-les en petits morceaux. Nettoyez les poireaux, coupez les racines, fendez-les en deux dans la longueur, lavez-les soigneusement et coupez-les en lanières.

2 Salez et poivrez les morceaux de noix de veau. Chauffez l'huile dans une cocotte et faites-y revenir les morceaux de veau sur tous leurs côtés. Ajoutez l'oignon, faites-le revenir 2 minutes, mouillez avec le vin et le bouillon, couvrez et laissez mijoter à feu doux environ 1 heure.

3 Incorporez les carottes et laissez cuire 10 minutes. Diluez la maïzena dans un bol avec une cuillerée à soupe d'eau. Versez-la dans la sauteuse et mélangez bien pour lier la sauce.

4 Ajoutez les poireaux, portez à ébullition et laissez cuire quelques instants. Lavez le thym (ou le persil) et séchez-le. Hors du feu, incorporez la crème et rectifiez l'assaisonnement. Décorez avec le thym (ou le persil) et servez avec des pommes de terre cuites à la vapeur.

Cette savoureuse recette d'hiver appartient au répertoire de la cuisine autrichienne.

Paupiettes de veau
à la mozzarella et aux épinards

Préparation

1 Triez les épinards et lavez-les soigneusement. Remplissez d'eau une casserole, salez-la et portez-la à ébullition. Plongez-y les épinards 5 minutes. Rincez-les à l'eau froide et égouttez-les soigneusement. Rincez les escalopes et séchez-les bien à plat. Épluchez l'ail, écrasez-le et étalez-le sur les escalopes. Salez, poivrez et recouvrez chaque escalope d'une tranche de jambon de Parme.

2 Pressez délicatement les épinards dans vos mains pour en extraire l'eau et disposez-les sur les escalopes. Détaillez la mozzarella en dés et répartissez-les sur les épinards. Roulez les escalopes sur elles-mêmes et maintenez-les fermées avec de petites piques en bois. Roulez-les dans la farine.

3 Chauffez l'huile dans une poêle et faites-y dorer les paupiettes sur tous leurs côtés environ 5 minutes. Versez le bouillon petit à petit, couvrez et laissez mijoter environ à feu doux 20 minutes.

4 Lavez le basilic, séchez-le et effeuillez-le. Disposez les paupiettes dans un plat et décorez avec les feuilles de basilic.

54

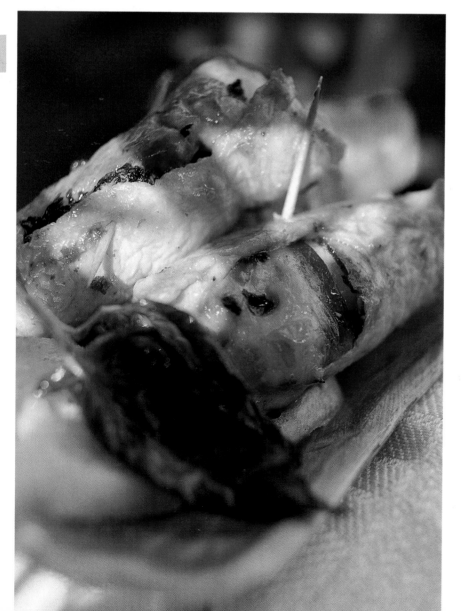

Pour 4 personnes

350 g d'**épinards** en branches • **Sel**

8 petites **escalopes de veau** fines

2 gousses d'**ail** • **Poivre** du moulin

8 tranches fines de **jambon de Parme**

1 boule de **mozzarella** (125 g)

2 c. à s. de **farine**

2 c. à s. d'**huile d'olive**

40 cl de **bouillon de légumes**

1/2 bouquet de **basilic**

315 kcal, lipides : 13 g

Pour 4 personnes

800 g environ de **râbles de lapin**

Sel • **Poivre** du moulin

1 c. à s. de **farine**

500 g de petits **oignons** • 4 gousses d'**ail**

2 c. à s. d'**huile d'olive**

25 cl de **vin rouge**

2 feuilles de **laurier** • 1 bâton de **cannelle**

3 clous de **girofle** • 1 c. à c. de **thym** séché

500 g de **tomates**

1/2 bouquet de **thym** frais

1 c. à s. de **vinaigre**

353 kcal, lipides : 8 g

Estouffade de lapin
au thym

Préparation

1 Détaillez les râbles de lapin en morceaux de 5 cm environ. Salez, poivrez et saupoudrez-les de farine. Pelez les oignons et coupez-les en quatre. Épluchez l'ail et coupez-le en lamelles fines.

2 Chauffez l'huile dans une sauteuse et faites-y revenir les morceaux de lapin sur tous leurs côtés. Réservez-les dans un plat. Versez les oignons dans la sauteuse et faites-les dorer, ajoutez les lamelles d'ail et remettez les morceaux de lapin. Mouillez avec la moitié du vin rouge et incorporez le laurier, la

cannelle, les clous de girofle et le thym séché. Couvrez et laissez mijoter à feu doux environ 1 heure en versant peu à peu le reste du vin.

3 Remplissez d'eau une casserole et portez-la à ébullition. Plongez-y les tomates 1 minute, rafraîchissez-les à l'eau froide, pelez-les, épépinez-les et détaillez-les en petits dés. Versez-les dans la sauteuse et poursuivez la cuisson 30 minutes. Lavez le thym frais et séchez-le. Ajoutez le vinaigre, salez, poivrez généreusement, parsemez de thym frais et servez.

Côtes d'agneau
au beurre d'épices

Le parfum de la viande grillée et des herbes aromatiques
rappelle l'été et ses barbecues

Pour 4 personnes

12 petites côtes d'agneau • Sel
Poivre du moulin • 1 morceau de
gingembre de la grosseur d'une
noisette • 2 piments rouges
2 capsules de cardamome • 4 grains
de poivre • 1 pincée de cannelle
en poudre • 1 pincée de noix
muscade râpée • 1/2 bouquet de
persil • 1/2 bouquet de menthe
2 gousses d'ail • 10 g de beurre
2 c. à s. d'huile de noix • 200 g de
riz • 1 citron non traité

240 kcal, lipides : 14 g

Préparation

1 Rincez les côtes d'agneau et séchez-les. Découpez soigneusement
la viande autour de l'os et éliminez au besoin la bordure de gras. Salez
et poivrez. Pelez le gingembre et râpez-le. Lavez les piments,
fendez-les en deux, épépinez-les et hachez-les finement. Fendez
les capsules de cardamome et écrasez les graines au mortier,
avec le piment et les grains de poivre. Ajoutez la cannelle et la noix
muscade, et mélangez. Lavez le persil et la menthe, séchez-les,
effeuillez-les et hachez-les finement. Épluchez l'ail et écrasez-le.

2 Chauffez le beurre et l'huile dans une poêle, et ajoutez l'ail
et le mélange d'épices. Laissez légèrement mousser le beurre, ajoutez
le persil et la menthe, et laissez tiédir hors du feu. Disposez
les morceaux d'agneau dans la poêle, retournez-les pour qu'ils
s'imprègnent de beurre d'épices sur chaque face et laissez-les reposer.

3 Remplissez d'eau une grande casserole, salez-la et portez-la à
ébullition. Faites cuire le riz suivant les instructions figurant sur le
paquet. Égouttez-le et maintenez-le au chaud.

4 Allumez le gril du four ou un gril électrique et faites griller les
morceaux d'agneau 6 à 8 minutes de chaque côté. Ils doivent être
saisis à l'extérieur, mais rose à cœur. Réchauffez le beurre d'épices
dans la poêle. Répartissez le riz dans quatre assiettes, disposez
les morceaux d'agneau par-dessus et arrosez-les de beurre brûlant.
Garnissez avec des quartiers de citron et servez.

**Vous pouvez accompagner ce plat d'un tzatziki aux épinards :
blanchissez 150 g d'épinards en branches, essorez-les
et hachez-les. Mélangez 150 g de fromage blanc à 20 %,
150 g de yaourt nature et 1 cuillerée à soupe de jus de citron
dans un saladier. Incorporez les épinards et assaisonnez
de sel et de cannelle en poudre.**

Plats aux légumes

Pot-pourri de légumes
et sauce à la crème

Savourez la légèreté d'un assortiment de légumes aux couleurs gaies sublimé
par une sauce délicate à la crème

Pour 4 personnes

2 petits bulbes de **fenouil**

2 **poivrons** rouges • 2 **carottes**

2 grosses **pommes de terre**

1 **poireau** • 2 **échalotes** • 15 g de

beurre • 80 cl de **bouillon**

de légumes • 1 **citron** non traité

2 c. à s. de **crème** fraîche

1 pincée de **paprika**

2 c. à s. de **crème** liquide

Sel • **Poivre** du moulin

250 kcal, lipides : 11 g

Préparation

1 Épluchez les fenouils, lavez-les, coupez-les en lanières. Lavez
les poivrons, séchez-les, ôtez les graines et les nervures blanches,
et détaillez-les en dés.

2 Pelez les carottes, lavez-les, séchez-les et détaillez-les en bâtonnets.
Pelez les pommes de terre, lavez-les, séchez-les et détaillez-les
en dés. Coupez les extrémités du poireau, ôtez les premières feuilles,
lavez-le soigneusement et coupez-le en demi-rondelles fines. Pelez
les échalotes et coupez-les en rondelles fines.

3 Faites fondre le beurre dans une grande sauteuse et faites-y étuver
les légumes à feu moyen environ 5 minutes. Ajoutez le bouillon,
couvrez et laissez mijoter 10 minutes.

4 Lavez soigneusement le citron à l'eau chaude, séchez-le et râpez
2 cuillerées à café de zeste. Incorporez-les aux légumes avec la crème
fraîche, le paprika et la crème liquide. Salez et poivrez généreusement.

**Avec la cuisson à l'étuvée, les légumes
gardent toute leur saveur. Cuits à l'eau,
ils perdent leurs vitamines et leurs
substances minérales. Utilisez l'eau
de cuisson !**

Risotto au potimarron
et à la sauge

Préparation

1 Préchauffez le four à 180 °C (th. 6). Ôtez la partie supérieure d'un potimarron à l'aide d'un grand couteau et creusez la partie inférieure. Épluchez l'autre potimarron, épépinez-le et détaillez la chair en morceaux.

2 Enveloppez les morceaux de potimarron de papier d'aluminium, placez-les sur la plaque du four, enfournez et laissez cuire 30 minutes. Pelez l'oignon et détaillez-le en petits dés. Réchauffez le bouillon dans une casserole. Faites fondre 5 g de beurre dans une sauteuse et faites-y revenir l'oignon. Ajoutez le riz et remuez jusqu'à ce que les grains soient transparents. Ajoutez le bouillon progressivement et faites-le réduire à petit feu environ 20 minutes. Incorporez les morceaux de chair de potimarron et laissez cuire 10 minutes, jusqu'à ce que le liquide soit complètement évaporé.

3 Lavez la sauge, séchez-la et effeuillez-la. Râpez le parmesan et incorporez-le au risotto avec 10 g de beurre. Salez et poivrez généreusement. Remplissez le potimarron creusé de risotto et décorez avec la sauge.

Pour 4 personnes

2 **potimarrons** (environ 800 g chacun)

1 **oignon** • 15 g de **beurre**

300 g de **riz rond** pour risotto

(*arborio* ou *vialone*)

25 cl de **bouillon de légumes**

1/2 bouquet de **sauge**

40 g de **parmesan** à la coupe

Sel • **Poivre** du moulin

▷▷ **400 kcal, lipides : 9 g**

Pour 4 personnes

4 gros **oignons**

20 g de **beurre**

2 c. à s. de **madère**

2 c. à s. de **raisins secs**

1/2 bouquet de **sauge**

2 c. à s. de **pignons**

2 à 3 c. à s. de **chapelure** • **Sel**

5 c. à s. de **bouillon de légumes**

180 kcal, lipides : 8 g

Oignons farcis
aux pignons et raisins secs

Préparation

1 Pelez les oignons. Remplissez d'eau une casserole, portez-la à ébullition et plongez-y les oignons entiers environ 15 minutes. Rincez-les à l'eau froide et égouttez-les. Coupez la partie supérieure, de façon à former un couvercle, et creusez-les à l'aide d'une cuillère à café. Hachez finement la chair recueillie.

2 Faites fondre 10 g de beurre dans une poêle et faites-y revenir la chair des oignons. Ajoutez le madère et les raisins secs, et laissez mijoter 5 minutes.

3 Préchauffez le four à 180 °C (th. 6). Lavez la sauge, séchez-la, effeuillez-la et hachez-la finement. Faites dorer les pignons à sec dans une poêle antiadhésive. Incorporez-les à la chair des oignons, avec la chapelure et le hachis de sauge, et salez.

4 Farcissez les oignons avec cette préparation. Beurrez un plat à gratin avec 10 g de beurre, disposez-y les oignons farcis et fermez-les avec leur couvercle. Versez le bouillon, parsemez le reste du beurre et faites cuire 45 minutes à four chaud.

Polenta
en croûte de légumes

Semoule de maïs dorée, légumes frais et herbes aromatiques,
c'est toute l'Italie dans l'assiette

Pour 4 personnes

1 pincée de **thym** séché

1 pincée d'**origan** séché

2 c. à s. d'**huile d'olive**

0,5 l de **bouillon de légumes**

160 g de **polenta** (semoule
de maïs) • 10 g de **beurre**

1 **oignon** • 2 gousses d'**ail**

1 **poivron** rouge • 1/2 c. à c. de

paprika doux • 2 pincées de

poivre de Cayenne • **Sel** • **Poivre**
du moulin • 80 g de **tomme**

1 **citron** non traité

1/2 bouquet de **persil**

1/2 bouquet de **romarin** frais

1 **courgette**

289 kcal, lipides : 9 g

Préparation

1 Chauffez 1 cuillerée à soupe d'huile d'olive dans une poêle et faites-y revenir le thym et l'origan 1 minute. Mouillez avec le bouillon et incorporez la polenta. Faites bouillir 3 minutes, arrêtez le feu et laissez gonfler 10 minutes. Beurrez un plat à gratin et étalez-y la polenta.

2 Pelez l'oignon, épluchez l'ail et hachez-les finement. Lavez le poivron, séchez-le, ôtez les graines et les nervures blanches, et détaillez-le en dés.

3 Chauffez 1 cuillerée à soupe d'huile dans une poêle et faites-y revenir l'oignon, l'ail et le poivron. Saupoudrez de paprika, de poivre de Cayenne, salez et poivrez. Préchauffez le four à 200 °C (th. 7).

4 Râpez grossièrement la tomme. Lavez soigneusement le citron à l'eau chaude, râpez le zeste, pressez-le et réservez le jus. Lavez le persil et le romarin, séchez-les et hachez-les. Incorporez-les aux légumes revenus dans la poêle, ainsi que le zeste de citron et la tomme.

5 Lavez la courgette, séchez-la et détaillez-la en bâtonnets aussi fins que possible. Arrosez-les de 2 cuillerées à soupe de jus de citron, salez et répartissez-les sur la polenta. Recouvrez avec les légumes, enfournez à mi-hauteur et laissez cuire 20 à 25 minutes, jusqu'à ce que la polenta soit croustillante.

Lentilles, tomates
et pappardelle

Mélange simple, succès garanti… et pas seulement auprès des amateurs de pâtes

Pour 4 personnes

1 oignon • 2 gousses d'ail

1 poireau • 1 carotte • 1 branche

de céleri • 20 g de beurre

150 g de lentilles vertes • 1 boîte

de tomates pelées (poids net

égoutté 500 g) • 12 cl de vin

rouge • 1 feuille de laurier

1 branche de thym séché • 1 pincée

de sucre • Sel • Poivre du moulin

500 g de pappardelle (ou de

tagliatelle) • 1/2 bouquet de persil

665 kcal, lipides : 7 g

Préparation

1 Pelez l'oignon, épluchez l'ail et hachez-les finement. Coupez les extrémités du poireau, ôtez les premières feuilles, lavez-le soigneusement et coupez-le en demi-rondelles fines. Ôtez le pied et les côtes de la branche de céleri, et émincez-la. Pelez la carotte, lavez-la, séchez-la et détaillez-la en petits dés.

2 Faites fondre le beurre dans une poêle et faites-y revenir l'oignon, l'ail, les légumes et les lentilles. Ajoutez les tomates pelées et leur jus, le vin, le laurier et le thym. Incorporez le sucre, salez et poivrez. Portez à ébullition, couvrez et laissez cuire à feu moyen environ 25 minutes, jusqu'à ce que les lentilles soient tendres.

3 Remplissez d'eau une grande casserole, salez-la, portez-la à ébullition et faites-y cuire les pappardelle (ou les tagliatelle) *al dente*, en suivant les instructions figurant sur le paquet. Égouttez-les.

4 Lavez le persil et séchez-le. Retirez le laurier et le thym de la poêle, incorporez-y le persil et rectifiez l'assaisonnement. Ajoutez les pappardelle (ou les tagliatelle) et réchauffez-les 1 minute. Répartissez la préparation dans quatre assiettes creuses et garnissez avec le persil.

Les lentilles servent d'aliment de base, depuis longtemps, dans de nombreux pays. Les lentilles vertes du Puy comptent parmi les plus savoureuses.

Gratin d'aubergines
et spaghetti

Préparation

1 Lavez l'aubergine, séchez-la, coupez-la en tranches d'environ 2 cm d'épaisseur, en diagonale. Salez et arrosez-les de jus de citron. Disposez-les dans un plat à gratin, couvrez-les et laissez-les dégorger environ 30 minutes.

2 Préchauffez le four à 180 °C (th. 6). Râpez la tomme. Pelez l'oignon, épluchez l'ail et hachez-les finement. Lavez le basilic et l'origan, séchez-les, effeuillez-les et hachez-les finement. Mélangez le tout dans un petit saladier. Lavez les tomates et coupez-les en rondelles.

3 Séchez les tranches d'aubergine sur du papier absorbant. Beurrez un plat à gratin, disposez-y les tranches d'aubergine et poivrez-les. Recouvrez-les de rondelles de tomate et parsemez dessus le mélange herbes-oignon-ail-tomme. Enfournez à mi-hauteur et laissez gratiner environ 25 minutes.

4 Remplissez d'eau une grande casserole, salez-la, portez-la à ébullition et faites-y cuire les spaghetti *al dente*, en suivant les instructions figurant sur le paquet. Égouttez-les et servez-les en accompagnement du gratin d'aubergines.

Pour 4 personnes

1 grosse **aubergine** (environ 500 g)

1 c. à s. de **jus de citron**

Sel • 75 g de **tomme**

1 petit **oignon** • 2 gousses d'**ail**

1/2 bouquet de **basilic** • 2 branches d'**origan**

2 **tomates** • **Poivre** du moulin

10 g de **beurre**

300 g de **spaghetti**

380 kcal, lipides : 8 g

Pour 4 personnes

500 g de **conchiglie** rigate

(ou de pipe rigate)

Sel • 1/2 **brocoli**

4 gousses d'**ail**

2 **piments rouges**

4 c. à s. d'**huile d'olive**

Poivre du moulin

40 g de **parmesan** à la coupe

555 kcal, lipides : 9 g

Conchiglie
au brocoli

Préparation

1 Remplissez d'eau une grande casserole, salez-la, portez-la
à ébullition et faites-y cuire les conchiglie rigate (ou les pipe
rigate), en suivant les instructions figurant sur le paquet.
Égouttez-les.

2 Lavez le demi-brocoli et détaillez-le en petits bouquets.
Remplissez d'eau une grande casserole, salez-la, portez-la
à ébullition et plongez-y les bouquets de brocoli 4 minutes.
Rincez-les à l'eau froide et égouttez-les.

3 Mélangez le brocoli et les pâtes dans un grand saladier.
Épluchez l'ail et hachez-le finement. Lavez les piments,
fendez-les en deux, épépinez-les et émincez-les.

4 Chauffez l'huile dans une sauteuse, versez-y le piment
et l'ail, puis le mélange pâtes-brocoli et réchauffez
1 minute. Salez et poivrez. Râpez le parmesan. Répartissez
la préparation dans quatre assiettes chaudes et parsemez
de parmesan râpé.

Ratatouille
au four

Sain et coloré, ce mélange de légumes aux herbes de Provence
évoque l'été et les vacances

Pour 4 personnes

2 petits **poivrons verts**

2 petits **poivrons rouges**

1 petite **courgette**

1 **aubergine** • 1 gros **oignon**

4 **tomates** • 4 gousses d'**ail**

3 c. à s. d'**huile d'olive**

Sel • **Poivre** du moulin

10 g d'**herbes de Provence**

2 c. à s. de **jus de citron**

25 cl de **bouillon de légumes**

1/2 bouquet de **romarin**

121 kcal, lipides : 4 g

Préparation

1 Préchauffez le four à 220 °C (th. 8). Lavez les poivrons, fendez-les en deux, épépinez-les et hachez-les finement. Lavez la courgette et l'aubergine, séchez-les. Coupez la courgette en tranches fines et détaillez l'aubergine en cubes.

2 Pelez l'oignon et émincez-le. Lavez les tomates, coupez-les en quatre, épépinez-les et détaillez-les en morceaux. Épluchez 2 gousses d'ail et hachez-les.

3 Badigeonnez un plat à gratin de 1 cuillerée à soupe d'huile d'olive à l'aide d'un pinceau alimentaire ou de papier absorbant et disposez-y les légumes et les 2 gousses d'ail entières. Salez, poivrez et parsemez d'herbes de Provence. Arrosez de 2 cuillerées à soupe d'huile d'olive, de jus de citron et de bouillon.

4 Enfournez à mi-hauteur et laissez mijoter environ 30 minutes, en mélangeant de temps à autre. Lavez le romarin et séchez-le. Décorez avec le romarin et servez.

Vous ne connaissez que la ratatouille en cocotte ? N'hésitez pas à essayer cette version au four, qui donne aux légumes un goût incomparable.

Légumes grillés
et riz basmati

On ne peut que se laisser séduire par la saveur de ces légumes qui passent directement du gril dans l'assiette

Pour 4 personnes

100 g de **riz basmati**

Sel • 1 **courgette verte**

2 **courgettes jaunes**

2 **oignons rouges**

500 g de petites **tomates**

en grappe

1/2 bouquet de **romarin** frais

1/2 bouquet de **persil**

Poivre du moulin • Jus de 1 **citron**

4 c. à s. d'**huile d'olive**

10 g de **beurre**

▶▶ **177 kcal, lipides : 4 g**

Préparation

1 Versez le riz dans une passoire et rincez-le soigneusement à l'eau froide. Versez-le dans une casserole avec deux fois son volume d'eau, salez légèrement, portez à ébullition et faites cuire à couvert à feu moyen environ 20 minutes.

2 Lavez les courgettes, coupez-les dans la longueur, en tranches ou en quartiers selon leur grosseur. Pelez les oignons et coupez-les en huit quartiers. Lavez les tomates et séchez-les. Lavez le romarin et le persil, séchez-les et hachez-les finement séparément.

3 Allumez le gril du four ou un gril électrique et faites griller les légumes environ 10 minutes, en veillant à ce que le gril ne soit pas trop chaud. En cours de cuisson, arrosez avec le jus de citron et l'huile d'olive, salez, poivrez et parsemez de romarin.

4 Incorporez au riz le beurre et le persil haché, et servez immédiatement avec les légumes grillés.

Les légumes sont nombreux à se prêter à la cuisson au gril : carottes, poivrons, fenouil, par exemple. Vous pouvez aussi les faire griller en brochettes.

Pommes de terre en papillotes
et sauce à la crème

Préparation

1 Préchauffez le four à 200 °C (th. 7). Brossez soigneusement les pommes de terre sous l'eau froide, enveloppez-les d'un carré de papier d'aluminium (face brillante à l'intérieur) et faites-les cuire au four 1 heure à 1 heure 30.

2 Versez la crème et le yaourt dans un saladier, et mélangez-les. Lavez le persil, séchez-le et hachez-le finement. Incorporez-le au mélange crème-yaourt. Salez, poivrez et ajoutez une pincée de sucre.

3 Sortez les pommes de terre du four, ouvrez les papillotes, faites une incision en croix dans chaque pomme de terre et entrouvrez délicatement la chair pour y verser 1 cuillerée à soupe de sauce à la crème. Servez le reste de la sauce à part.

Pour 4 personnes

8 grosses **pommes de terre** farineuses

10 cl de **crème** fraîche

200 g de **yaourt** nature au lait entier

1/2 bouquet de **persil**

Sel • 1 pincée de **sucre**

Poivre du moulin

297 kcal, lipides : 7 g

Pour 4 personnes

500 g de **tofu**

2 **poivrons rouges**

12 **oignons nouveaux**

250 g de petits **champignons de Paris**

1 gousse d'**ail**

1/2 bouquet de **thym** frais

4 c. à s. d'**huile d'olive**

1 pincée de **paprika**

Poivre du moulin

185 kcal, lipides : 8 g

Brochettes de légumes
au tofu

Préparation

1 Préchauffez le gril du four ou allumez le barbecue 30 minutes à l'avance pour que la braise soit prête lorsque vous aurez terminé la préparation des brochettes. Faites tremper 8 brochettes en bois 30 minutes dans de l'eau froide.

2 Détaillez le tofu en dés. Lavez les poivrons, séchez-les, ôtez les graines et les nervures blanches. Pelez les oignons, lavez-les et séchez-les. Nettoyez les champignons. Détaillez le tout en morceaux.

3 Confectionnez les brochettes en alternant les morceaux de poivron, d'oignon, de champignon et de tofu. Épluchez l'ail et hachez-le finement. Lavez le thym, séchez-le et effeuillez-le.

4 Mettez l'huile, l'ail et le thym dans un grand bol, et mélangez. Incorporez le paprika et poivrez. Badigeonnez les brochettes de cette préparation et faites-les griller 5 à 8 minutes, au barbecue ou au gril.

Crêpes roulées
et légumes à la chinoise

Pour un en-cas original, une crêpe roulée en cornet gardant au chaud
un assortiment de légumes

Pour 4 personnes

3 œufs • 275 g de **farine de froment**

Sel • 35 cl de **lait demi-écrémé**

15 cl d'**eau minérale** • 2 **poivrons**

rouges • 1 petite **aubergine**

1 **courgette** • 150 g de **pleurotes**

50 g de **pousses de soja** (haricots

mungo) • 1 morceau de **gingembre**

de la grosseur d'une noix • 3 c. à s.

d'**huile** • **Poivre** du moulin • 12 cl

de **bouillon de légumes** • 2 c. à s.

de **vinaigre** • 1 c. à s. de **sirop**

d'**érable** • 1 c. à c. de **maïzena**

2 c. à s. de **sauce de soja**

460 kcal, lipides : 13 g

Préparation

1 Mettez les œufs, la farine, une pincée de sel et le lait dans un saladier, et mélangez au fouet. Ajoutez l'eau minérale jusqu'à l'obtention d'une pâte liquide. Couvrez et laissez reposer 30 minutes.

2 Lavez les poivrons, séchez-les, ôtez les graines et les nervures blanches, et coupez-les en lanières. Lavez l'aubergine et la courgette, et détaillez-les en bâtonnets. Nettoyez les pleurotes et coupez-les en quatre. Rincez les pousses de soja et égouttez-les. Pelez le gingembre et hachez-le.

3 Préchauffez le four à 50 °C (th. 1). Fouettez à nouveau la pâte. Chauffez 1 cuillerée à soupe d'huile dans une poêle antiadhésive et confectionnez 8 crêpes. Gardez-les au chaud dans le four.

4 Chauffez 2 cuillerées à soupe d'huile dans une sauteuse et faites-y revenir le gingembre. Ajoutez les bâtonnets d'aubergine et les lanières de poivron, puis les bâtonnets de courgette et les quartiers de pleurote. Salez, poivrez et faites-les revenir 3 minutes en remuant. Incorporez le bouillon, le vinaigre et le sirop d'érable. Diluez la maïzena avec 1 cuillerée à soupe d'eau dans un bol, versez-la dans la sauteuse et mélangez bien pour lier la sauce. Ajoutez les pousses et la sauce de soja. Disposez un peu de légumes sur le quart d'une crêpe, rabattez un côté et roulez la crêpe pour former un cornet.

Vous êtes pressé(e) ? Remplacez les crêpes maison par des galettes de maïs toutes faites et réchauffez-les rapidement à la poêle ou au four.

Couscous aux légumes
et sauce à la tomate

Une version légère et végétarienne de ce classique
de la cuisine d'Afrique du Nord

Pour 4 personnes

6 **tomates** • 1 **oignon** • 3 *gousses*

*d'*ail • 1 c. à s. d'**huile** • 150 g de

yaourt nature crémeux • **Sel**

Poivre du moulin • Quelques

gouttes de **Tabasco** • 1 pincée de

sucre • 3 **carottes** • 100 g de

haricots verts • 100 g de feuilles

de **chou blanc** • 1 **piment** séché

2 **courgettes** • 1 petite **aubergine**

15 g de **beurre** • 12 cl de **bouillon**

de **légumes** • 100 g de **pois chiches**

(en boîte) • 1 dose de **safran** en

poudre • 400 g de **couscous** • 1/2

bouquet de **coriandre** (ou de persil)

565 kcal, lipides : 14 g

Préparation

1 Lavez 2 tomates, coupez-les en quatre, épépinez-les et détaillez-les en petits morceaux. Pelez l'oignon, épluchez 1 gousse d'ail et hachez-les finement. Chauffez l'huile dans une poêle et faites-y revenir l'ail et l'oignon jusqu'à ce qu'ils soient transparents. Ajoutez les morceaux de tomate et laissez mijoter 10 minutes à feu moyen. Mixez la sauce, incorporez le yaourt, salez, poivrez, ajoutez le Tabasco et le sucre. Couvrez et mettez au réfrigérateur.

2 Pelez les carottes, lavez-les, séchez-les et détaillez-les en dés. Équeutez les haricots verts, lavez-les, séchez-les et coupez-les en deux si nécessaire. Lavez les feuilles de chou, séchez-les et coupez-les en lanières. Épluchez 2 gousses d'ail et hachez-les. Écrasez le piment au mortier. Lavez les courgettes, séchez-les et détaillez-les en tronçons. Lavez l'aubergine, séchez-la et détaillez-la en cubes. Lavez 4 tomates, séchez-les, coupez-les en quatre, épépinez-les et détaillez-les en petits dés.

3 Faites fondre le beurre dans une grande sauteuse et faites-y revenir les carottes, les haricots verts et le chou environ 4 minutes. Ajoutez l'ail et le piment, remuez quelques secondes, puis incorporez les courgettes et l'aubergine. Couvrez et laissez mijoter à feu doux 4 minutes. Mouillez avec le bouillon, ajoutez les dés de tomate et les pois chiches, et poursuivez la cuisson 5 minutes. Salez, poivrez et incorporez le safran.

4 Remplissez une petite casserole d'eau et portez-la à ébullition. Placez le couscous dans un saladier et arrosez-le d'eau bouillante. Laissez gonfler la semoule 5 minutes et aérez à la fourchette.

5 Lavez la coriandre (ou le persil), séchez-la et effeuillez-la. Formez un petit dôme de semoule sur chaque assiette et répartissez les légumes par-dessus. Décorez avec la coriandre (ou le persil) et servez la sauce à part.

Desserts

Crème de yaourt
aux agrumes

La fraîcheur à l'état pur : cette crème de yaourt est aussi facile à réaliser
que légère et délicieuse

Pour 4 personnes

1 orange • 2 citrons

60 g de **sucre** • 500 g de **yaourt**

nature au lait entier

2 c. à s. de **liqueur d'orange**

(Cointreau, par exemple)

1 **citron vert** non traité

1/2 bouquet de **menthe**

195 kcal, lipides : 5 g

Préparation

1 Pelez l'orange à vif et débarrassez les quartiers des peaux
intermédiaires en récupérant le jus dans un bol. Pressez les citrons.

2 Versez le sucre dans une petite assiette. Trempez le bord de quatre
coupes ou jolis verres dans le jus d'orange, puis dans le sucre.

3 Mettez le yaourt, le jus d'orange et de citron, la liqueur d'orange
et le sucre dans un saladier, et mélangez au fouet. Lavez soigneusement
le citron vert à l'eau chaude et coupez-le en rondelles fines. Lavez
la menthe, séchez-la et effeuillez-la.

4 Répartissez la préparation aux yaourt dans les coupes ou verres
et garnissez avec les quartiers d'orange. Décorez avec les rondelles
de citron vert et les feuilles de menthe, et servez frais.

**Pour colorer ce dessert,
utilisez une orange sanguine
ou un pamplemousse rose.**

Baies rouges
à la semoule de sarrasin

Préparation

1 Versez la semoule de sarrasin (ou le boulgour) dans une casserole avec 1 demi-litre d'eau et portez à ébullition en écumant la mousse qui se forme à la surface. Réduisez le feu, couvrez et laissez gonfler la semoule à feu doux 20 minutes. Laissez-la reposer hors du feu 15 minutes.

2 Triez les baies rouges, rincez-les dans une passoire et égouttez-les soigneusement. Mettez de côté quelques jolies grappes de groseilles ou quelques feuilles de fraise.

3 Répartissez la moitié de la semoule de sarrasin dans 4 coupes. Ajoutez le mélange de baies rouges et complétez avec le reste de la semoule. Arrosez avec le jus de groseille, décorez avec les grappes de groseilles et les feuilles de fraise, et saupoudrez de sucre en poudre.

Pour 4 personnes

200 g de **semoule** de sarrasin (ou de boulgour) • 800 g de **baies rouges** mélangées (groseilles, cassis, myrtilles, fraises et framboises) • 40 cl de **jus de groseille** • 4 c. à s. de **sucre en poudre**

378 kcal, lipides : 1 g

Pour 4 personnes

250 g de **fruits secs** mélangés

(abricots, figues, pruneaux et dattes)

50 g de **raisins secs** blonds • 20 g

d'**amandes** mondées • 20 g de **pignons**

20 g de **pistaches** non salées • 3 c. à s.

de **sucre en poudre** • 100 g de **yaourt**

nature crémeux • 1/2 bouquet de **menthe**

334 kcal, lipides : 11 g

Pot-pourri de fruits secs
au sirop

Préparation

1 Mettez les fruits et les raisins secs dans un saladier
et couvrez-les d'eau chaude pour les ramollir. Laissez-les
tremper quelques minutes et égouttez-les soigneusement.
Mettez les fruits et les raisins secs, les amandes, les pistaches
et les pignons dans une casserole. Ajoutez le sucre
et 25 cl d'eau, mélangez, portez à ébullition, couvrez
et laissez mijoter à tout petit feu 20 minutes. Laissez refroidir.

2 Répartissez le mélange de fruits dans quatre coupes
et mettez-les quelques heures au réfrigérateur.

3 Lavez la menthe, séchez-la et effeuillez-la. Battez le yaourt
dans un bol et répartissez-le délicatement à l'aide d'une
cuillère à café sur le mélange de fruits. Décorez avec
les feuilles de menthe.

Salade de figues et kiwis
et mousse de banane

Un soupçon d'exotisme pour ces fruits gorgés de soleil, réveillés
par l'acidité du kiwi et du jus de groseille

Pour 4 personnes

4 **kiwis** mûrs

4 **figues vertes** fraîches

2 **abricots**

10 cl de **jus de groseille**

1 c. à s. d'**amandes** mondées

4 **dattes** • 1 **banane**

1/2 bouquet de **menthe**

▶▶ **218 kcal, lipides : 2 g**

Préparation

1 Pelez les kiwis, coupez-les en rondelles très fines et disposez-les en rond dans quatre assiettes à dessert, en les faisant chevaucher. Lavez les figues, coupez-les en quatre ou en huit, selon leur taille, et disposez-les sur les tranches de kiwi. Lavez les abricots, retirez le noyau et coupez-les en tranches fines.

2 Versez le jus de groseille dans une casserole et faites-le réduire à feu vif, jusqu'à ce qu'il prenne en sirop. Hachez grossièrement les amandes. Incorporez les tranches d'abricot au sirop, portez à ébullition et retirez du feu. Répartissez les abricots sur les kiwis et parsemez d'éclats d'amandes.

3 Dénoyautez les dattes et hachez-les très finement. Épluchez la banane et écrasez-la soigneusement à la fourchette. Mélangez la banane et les dattes hachées dans un bol.

4 Lavez la menthe, séchez-la et effeuillez-la. Répartissez la mousse de banane sur les fruits, sans l'étaler, et décorez avec les feuilles de menthe.

Selon la saison et votre inspiration, vous pouvez décliner cette recette en utilisant, par exemple, des fruits exotiques : mangues, papayes, caramboles, ananas, etc.

Gâteau de semoule
aux fraises

Préparation

1 Versez le lait, les graines de la gousse de vanille, le sucre et 1 pincée de sel dans une casserole et portez à ébullition. Ajoutez la semoule en remuant. Incorporez le zeste de citron et laissez cuire doucement.

2 Fouettez 1 cuillerée à soupe de semoule cuite et le jaune d'œuf dans un bol, à la fourchette, et reversez le mélange dans la semoule. Battez les blancs en neige ferme et incorporez-les délicatement à la préparation. Répartissez-la dans quatre ramequins rafraîchis à l'eau froide et laissez refroidir.

3 Lavez les fraises, réservez-en quelques-unes pour la décoration, découpez-les en deux ou en quatre selon leur taille, et mettez-les dans une assiette. Saupoudrez de 1 cuillerée à soupe de sucre glace et laissez macérer au moins 15 minutes.

4 Lavez la menthe, séchez-la et effeuillez-la. Décollez le bord des gâteaux de semoule avec la pointe d'un couteau et démoulez-les sur quatre assiettes. Garnissez avec les fraises et les feuilles de menthe. Saupoudrez de 1 cuillerée à soupe de sucre glace et servez.

Pour 4 personnes

0,5 l de **lait** demi-écrémé

1 gousse de **vanille**

80 g de **sucre** • **Sel**

70 g de **semoule** fine

Zeste de 1 **citron** non traité râpé

1 **jaune d'œuf**

2 **blancs d'œufs**

500 g de **fraises**

2 c. à s. de **sucre glace**

1/2 bouquet de **menthe**

280 kcal, lipides : 5 g

Pour 4 personnes

400 g de **framboises**

8 feuilles de **gélatine** blanche

80 g de **sucre** en poudre • 1 c. à s. de

sucre vanillé • 4 c. à s. de **jus d'orange**

1 c. à c. de zeste de 1 **orange** non traitée

600 g de **lait caillé** demi-écrémé

2 cl d'**eau-de-vie de framboise**

15 cl de **crème** fleurette (ou liquide)

1/2 bouquet de **menthe**

4 c. à s. de **sucre glace**

>> **330 kcal, lipides : 15 g**

Flans aux framboises
et au lait caillé

Préparation

1 Triez les framboises, rincez-les dans une passoire
et égouttez-les soigneusement. Faites tremper la gélatine
dans de l'eau froide.

2 Versez le sucre en poudre, le sucre vanillé et 1 cuillerée
à soupe d'eau dans une casserole, portez à ébullition
et faitesfrémir environ 20 minutes pour obtenir un sirop.

3 Battez le lait caillé dans un saladier et incorporez le sirop,
le jus et le zeste d'orange, et l'eau-de-vie de framboise.

4 Égouttez la gélatine. Battez la crème en chantilly.
Incorporez la gélatine au lait caillé, puis la crème chantilly
et la moitié des framboises, délicatement. Remplissez
quatre moules individuels et mettez 3 heures
au réfrigérateur.

5 Lavez la menthe, séchez-la et effeuillez-la. Plongez les moules
dans l'eau chaude, démoulez les flans et recouvrez-les avec
le reste des framboises. Saupoudrez de sucre glace et décorez
avec les feuilles de menthe.

Raisin et poires
à la noix de coco

Ce mélange de poires juteuses, de raisins noirs et de fromage blanc parfumé
à la noix de coco est aussi savoureux qu'harmonieux

Pour 4 personnes

200 g de **raisin noir**

4 c. à s. de **crème de cassis**

2 petites **poires Williams**

1 c. à s. de **jus de citron**

50 g de chair de **noix de coco**

fraîche

200 g de **fromage blanc** à 20 %

2 sachets de **sucre vanillé**

1/2 bouquet de **menthe**

225 kcal, lipides : 8 g

Préparation

1 Lavez les grains de raisin, fendez-les en deux et retirez éventuellement
les pépins. Mettez-les dans un saladier, arrosez-les de crème de cassis
et mélangez délicatement.

2 Lavez les poires, coupez-les en quartiers, ôtez le cœur et les pépins,
et coupez-les en tranches. Arrosez-les de jus de citron et ajoutez-les
aux raisins.

3 Râpez finement les deux tiers du morceau de noix de coco. Battez
le fromage blanc dans un saladier. Incorporez le sucre vanillé et la noix
de coco râpée.

4 Lavez la menthe, séchez-la et effeuillez-la. Répartissez les deux tiers
du mélange poires et raisin dans quatre verres assez hauts, ajoutez
délicatement le fromage blanc à la noix de coco et complétez
avec le reste des fruits. Coupez le reste de la noix de coco en lamelles
à l'aide d'un couteau économe. Décorez avec les feuilles de menthe
et les lamelles de noix de coco, et servez.

**Pour les enfants, remplacez
la crème de cassis par du jus
de groseille ou de raisin.**

Glace au fromage blanc
et à la liqueur d'œufs

Le fromage blanc et les fruits apportent leur douceur
à cette glace légère, sans crème

Pour 4 personnes

500 g de **fromage blanc** à 0 %

1 gousse de **vanille**

2 c. à s. de **sucre** • 1 gousse de

vanille • 6 cl de **liqueur d'œufs**

(Advokaat, par exemple)

2 cl d'**Amaretto** • 200 g de **cerises**

200 g de **framboises**

4 **cornets** à glace

1/2 bouquet de **menthe**

> **253 kcal, lipides : 2 g**

Préparation

1 Mettez le fromage blanc, les graines de la gousse de vanille, le sucre, la liqueur d'œufs et l'Amaretto dans un saladier et mélangez. Mettez la préparation 1 heure au congélateur et remuez-la toutes les 20 minutes avec une fourchette. Utilisez éventuellement une sorbetière.

2 Équeutez les cerises et rincez-les, ainsi que les framboises, dans une passoire. Égouttez-les soigneusement.

3 Lavez la menthe, séchez-la et effeuillez-la. Réservez quelques fruits pour le décor et répartissez le reste des cerises et des framboises dans quatre cornets à glace. Recouvrez-les de 2 boules de glace à demi prise. Décorez avec les fruits réservés et les feuilles de menthe.

Renoncez aux cornets pour diminuer la teneur en lipides et en calories. Dans ce cas, répartissez la préparation au fromage blanc dans de petits ramequins avant de la mettre au congélateur. Avant de servir, démoulez-les et garnissez-les de fruits.

Muffins
aux cerises

Petits mais irrésistibles, ces muffins aériens garnis de cerises plaisent
aux enfants comme aux adultes

Pour 4 personnes

150 g de cerises

(fraîches ou en conserve)

1 citron vert non traité

200 g de farine

1 c. à c. de levure chimique

150 g de beurre allégé

150 g de sucre

1 sachet de sucre vanillé

1 œuf • 100 g de yaourt nature

4 c. à s. de sucre glace

173 kcal, lipides : 6 g

Préparation

1 Préchauffez le four à 175 °C (th. 6). Lavez les cerises fraîches et
dénoyautez-les ou égouttez délicatement les cerises en bocal. Lavez
soigneusement le citron vert à l'eau chaude, râpez le zeste et pressez
le jus.

2 Mélangez la farine et la levure dans un saladier. Mettez le beurre allégé
ramolli, le sucre, le sucre vanillé et l'œuf dans un autre saladier et
mélangez bien. Ajoutez le yaourt, le zeste et 2 cuillerées à soupe de jus
de citron vert. Incorporez la farine, mélangez et ajoutez les cerises.

3 Répartissez la pâte dans des moules à muffins antiadhésifs (ou dans
des caissettes en papier) et remplissez-les aux deux tiers. Enfournez
à mi-hauteur et laissez cuire 20 à 25 minutes.

4 Badigeonnez les muffins de jus de citron vert, à leur sortie du four,
à l'aide d'un pinceau alimentaire. Démoulez-les sur une grille
et laissez-les refroidir. Saupoudrez de sucre glace et servez.

**Les moules à revêtement antiadhésif
ou les caissettes en papier n'ont
pas besoin d'être beurrés au préalable.**

Index des recettes

96

Crédits

© 2002 Verlag Zabert Sandmann GmbH, Munich, pour l'édition originale
© 2003 Éditions Solar, Paris, pour la version française
ISBN : 2-263-03650-4
Code éditeur : S03650
Dépôt légal : décembre 2003
Imprimé en Italie par Officine Grafiche de Agostini, Novara

Traduction : Marie-Lys Wilwerth
Adaptation française : Decoudun-Le Dosseur, Paris
Mise en page : Georg Feigl, Barbara Markwitz
Rédaction : Martina Solter, Kathrin Ullerich

Titre original : *Low Fat*

Photographies de Susie Eising : 29, 33, 54, 55, 57, 85 ; StockFood/Uwe Bender : 36 ; StockFood/Alexander van Berge : 58-59, 73 ; StockFood/Harry Bischof : 7 (en bas à gauche), 13, 25, 42, 45, 53, 83 ; StockFood/Michael Brauner : 74 ; StockFood/Gerrit Buntrock : 69 ; StockFood/Jean Cazals : 37, 50, 62 ; StockFood/Brett Danton : 51 ; StockFood/Achim Deimling-Ostrinsky : 27 ; StockFood/Pete A: Eising : 79 ; StockFood/Susie Eising : 6 (à gauche), 8 (en haut à droite, en bas à gauche et à droite), 10-11, 17, 20, 35, 63, 75, 88, 89, 93 ; StockFood/S. & P. Eising : 1, 2-3, 4-5, 7 (en haut à gauche, 2e à gauche en partant du bas, au centre), 8 (en haut à gauche), 14, 15, 19, 21, 23, 30-31, 39, 41, 47, 49, 61, 65, 67, 68, 71, 77, 80-81, 87, 91, 95 ; StockFood/Karl Newedel : 84 ; StockFood/Rosenfeld Images LTD : 6 (à droite), 7 (en haut à droite) ; StockFood/Rosenfeld/ Maximilian : 7 (2e à gauche en partant du haut) ; StockFood/Jan-Peter Westermann : 43.

En 1re et 4e de couverture : StockFood/S. & P. Eising.